Die Lage war noch nie so ernst!

Doktor Adenauers geflügelte Worte

gesammelt und kommentiert
von Erhard Kortmann und Fritz Wolf

Gustav Lübbe Verlag

Gesamtherstellung: Schwann, Düsseldorf
1965 Printed in Germany

»Selbst wenn Adenauer 200 Wörter mehr wüßte,
würde er sie nicht benutzen.
Das ist doch gerade seine Klugheit.«

Margot Kalinke, CDU-MdB 1961

»Ich habe sieben Kinder und einundzwanzig Enkelkinder. Wenn alle bei mir sind, ist es bewegt und unruhig in dem sonst so stillen Haus in Rhöndorf. In meiner Familie herrscht große Eintracht. Das ist sehr schön und ein großes Glück.« *1962*

»Meine Gesundheit ist nichts weiter als das natürliche Erbteil von meinen Eltern.«

»Daß ich nicht rauche, verdanke ich einem Onkel von mir. Er hat mir, als ich zwölf Jahre alt war, eine irdene Pfeife mit starkem Tabak zu rauchen gegeben. Das war auch noch eine neue irdene Pfeife, und davon bin ich sehr krank geworden.«
1963

»Erziehen Sie sehr frühzeitig Ihre Kinder zum Sparen. Sie gewöhnen sich dadurch an die Schätzung des Wertes des Geldes ...«
1957

»Wir wollen die deutsche Familie wiederherstellen.« *1957*

»Wie alt bin ich jetzt eigentlich?
Ich weiß es manchmal gar nicht.«
1963

»Wissen Sie, auf Tschiang Kai-schek
kann man sich nicht mehr verlassen.
Der ist schon zu alt geworden.«
1964

Tschiang Kai-schek (76) – Adenauer (88)

»Tizian ist ja auch hundertzwei
geworden, und ich
male noch nicht einmal.«

»Sprechen Sie mir nicht immer
von meinem Alter. Ich weiß selber,
wie alt ich bin.« *1959*

»Sie haben von mir immer erstklassige Meldungen bekommen. Ich bin gestern beerdigt worden. Das weiß noch keiner. Das haben Sie exklusiv.«

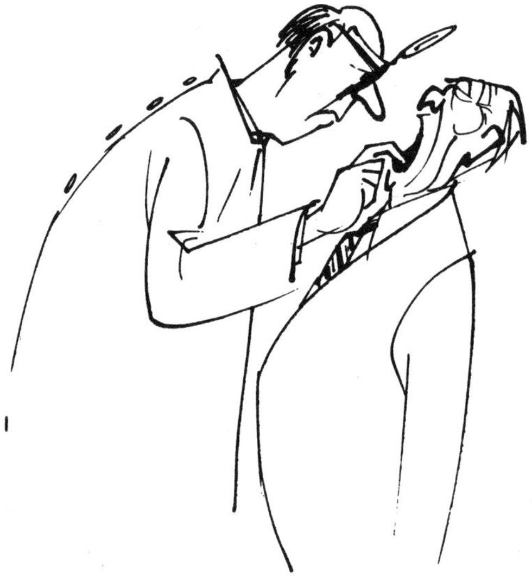

»Mir wird die Zunge steif,
wenn ich das Wort
›Altbundeskanzler‹ höre.«
1964

»Aber nun trage ich das
Handikap mit mir herum, daß
es heißt, ich klebe am Stuhl,
und was nicht alles!« *1963*

»Wir sind so arm an wirklich
guten Männern.« *1958*

»Ich hoffe jedenfalls, daß die Güte das ist, was die Frauen auszeichnet. Denn wir wollen mit ihrer Hilfe die Wahlen gewinnen.« *1965*

»Er ist nie ein Schüler von mir gewesen. Ich möchte das im Interesse von Herrn Schröder sagen.« *1964*

»Dies ist der erste Parteitag nach dem Kanzlerwechsel, aber die Hoffnungen, die unsere Gegner damit verknüpften, haben sich nicht erfüllt. Wir sind so einig und geschlossen wie je.« *1964*

»So eine Kronprinzengeschichte ist immer eine unangenehme Geschichte.« *1960*

»Es ist doch gar nicht wahr, daß der Bundeskanzler allein die Politik bestimmt.« *1961*

»Als erstes werde ich jetzt mal die Geschäftsordnung des Bundestages studieren. Eines weiß ich jetzt schon: Gegen zwei Leute darf man da nichts sagen. Der eine ist der Bundestagspräsident, der andere ist der Bundeskanzler.« *1963*

»Ich stehe zur Regierung Erhard – auch wenn ich wieder Meinungsverschiedenheiten mit Erhard haben werde.« *1964*

»Ich bin immer zufrieden.« *1963*

»Professor Erhard hat eine etwas umfangreichere Konstitution als Herr Dufhues. Er trägt sein Gewicht in sich selbst.« *1962*

»So wie die Dinge stehen, gehe ich in Sorge.« *1963*

»Ich weiß gar nicht,
was Sie wollen, eigentlich bin
ich meiner Natur nach
ein Veilchen, das im
verborgenen blüht.«

»Das ist ja furchtbar. In
diesem Haus muß man ja
Rollschuhe haben!« *1963*

»Sie wissen, daß mir im Bundesratsflügel einige Räume bereitgestellt worden sind, um dort zu arbeiten, aber auch um mich immer im Griff zu halten.« *1963*

»Was soll denn das ganze Theater hier?« *1962 vor dem Bundestag*

»Ich bin nach wie vor strikt gegen eine Remilitarisierung der Bundesrepublik.« *1950*

»Eine Aufstellung von militärischen Streitkräften in Deutschland wünschen wir nicht, wir haben genug vom Krieg.« *1950*

»Die deutsche Wicderbewaffnung ist der erste Schritt zur Abrüstung.« *1954*

»Wir wollen keine atomaren Waffen, wir können sie gar nicht bezahlen. Im übrigen – wir lehnen eine atomare Ausrüstung der Bundeswehr ganz bewußt ab.« *1957*

»Wer der Bundeswehr die taktischen Atomwaffen vorenthalten will, ist ein Narr oder Böseres.« *1960*

»Es ist der sichere Untergang, wenn die Bundeswehr keine Atomwaffen hat.« *1961*

»Ich habe sicher mehr Pulverdampf gerochen als mancher von Ihnen. Unsere Freunde, die Amerikaner, haben piksolo auf mich allein drei Granaten abgeschossen.« *1960*

»Es wird keinen heißen Krieg geben, aber wir werden auf der Wacht sein müssen wie nie zuvor.« *1960*

»Unsere Partei hat in den letzten vierzehn Jahren auf ihrem Weg zu Frieden und Freiheit nicht geschwankt.« *1964*

»Der da, der lügt, das weiß ich. Und ich bleibe nicht immer bei der Wahrheit. Das weiß er. So verstehen wir uns ganz gut.«

Über einen altgedienten Bonner Korrespondenten

»Wer es nicht versteht, Akten zu lesen ...

... und ihren Kern ...

... unverzüglich zu erfassen ...

... wird in der Politik niemals eine wirkliche Rolle spielen können.« *1963*

»Es muß gekämpft werden.
Das ist so erquickend.
Ich freue mich auf
ein Wahljahr. Das tue ich
doch lieber, als hier in
Bonn zu sitzen und alle
die Akten zu bekommen.«
1960

»Wer am Vertrauen zur Bundesregierung nagt, macht sich eines schweren Vergehens gegenüber dem deutschen Volk schuldig.« *1963*

»Einen Rat ... für den Umgang mit der Opposition: ihr mit einem nicht sehr harten Holzhammer auf den Kopf schlagen.« *1960*

»Wenn Sie so weitermachen, dann zwingen Sie mich, eine Partei links von der SPD zu gründen.« *1963*

»Ich weiß, daß jede Regierung, insbesondere auch die von mir geführte, von einer klugen Opposition sehr viel lernen kann und lernen will.« *1949*

»Wir werden dafür sorgen, daß die SPD niemals an die Macht kommt.« *1957*

»Wehner ist zweifellos der Klügste in seiner Partei, aber dort soll er auch bleiben.« *1963*

»Die Erfahrungen sind die
Samenkörner, aus denen die
Klugheit emporwächst.«

1965

»Sie können mich doch nicht hindern,
daß ich von Tag zu Tag klüger werde.«

»Ich habe das deutsche Volk in
allen Situationen aufs tiefste
geliebt. Und was die Gerissenheit
angeht: wenn sie nötig ist,
muß man sie besitzen.« *1961*

»Je einfacher denken, ist oft eine
wertvolle Gabe Gottes.« *1956*

»Ich bin der festen Überzeugung – ich will man sehr vorsichtig sein –, der Prozentsatz derjenigen Menschen in der Welt, die geistig nicht mehr so ganz dabei sind, hat zugenommen.«
1959

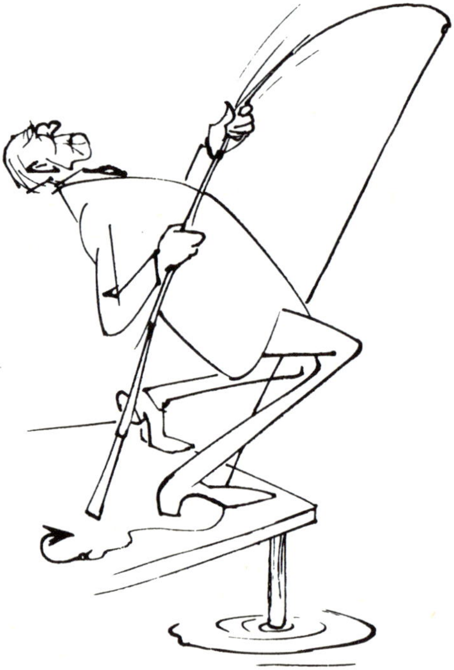

»Holen Sie, bitte, mal einen aus Tanger 'raus!« *1962*

»Wir haben einen Abgrund
von Landesverrat im Lande.«
1962

»Ein Bundeskanzler hat nicht die
Wahrheit für sich gepachtet. Ich bin
Zeuge dafür, daß es so ist.« *1961*

»Natürlich achte ich das
Recht. Aber auch mit
dem Recht darf man
nicht so pingelig sein.«
1960

»Es ist sehr komisch, aber
ich meine, ich habe heute
mehr Ansehen als vor
einem Jahr.« *1964*

»Ich muß die Finger überall etwas drin behalten.« *1961*

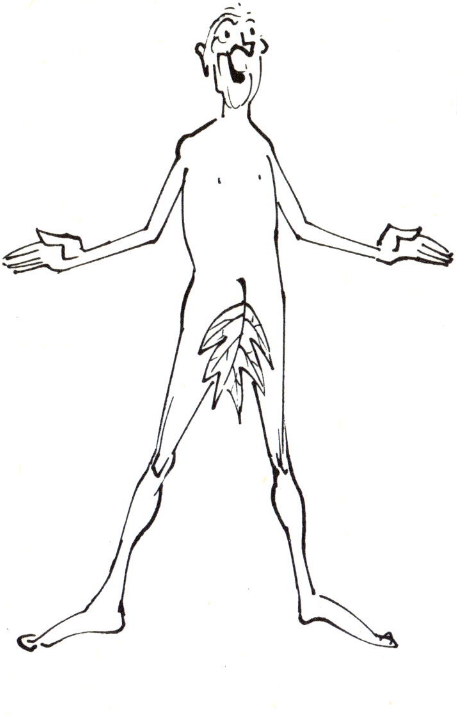

»Ich bin so, wie ich bin.« *1960*

»Deutschland ist eines der am wenigsten christlichen Länder Europas, und in Berlin fühle ich mich wie in einer heidnischen Stadt.« *1947*

»Daß die Besatzungsmächte geduldet haben, daß die Berliner Mauer kam, das hat uns die absolute Mehrheit gekostet.« *1965*

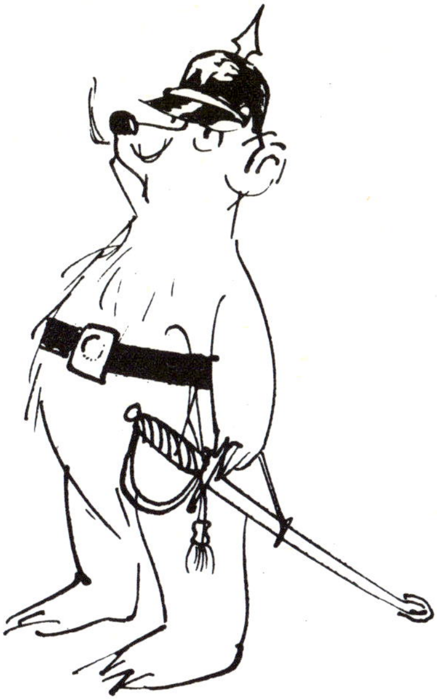

»Wer Berlin zur neuen Hauptstadt macht, schafft geistig ein neues Preußen.« *1946*

»Ich wünschte, es gäbe noch mehr Druckmittel gegenüber dem Osten, als es sie wirklich gibt.« *1961*

»Während der ganzen Zeit, die ich in Moskau war, habe ich keinen einzigen Kinderwagen gesehen.« *1955*

»Ich selbst habe das Moskauer Bolschoi-Ballett gesehen, und es hat mir nicht geschadet.«
1964

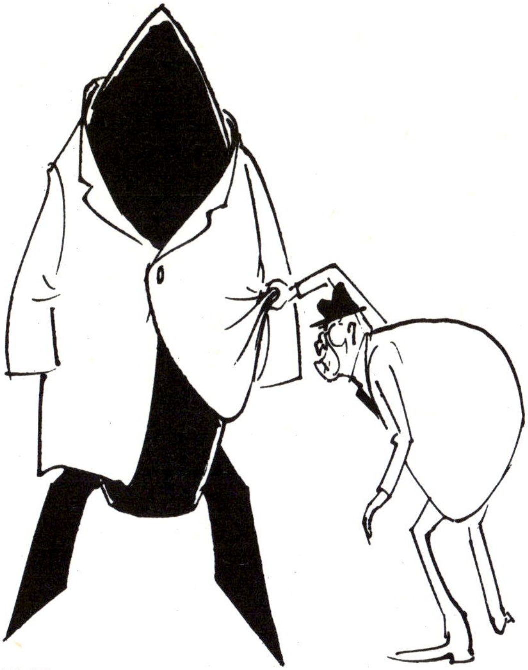

»Man kann die Welt nicht dadurch täuschen, daß man aggressive Absichten in den Mantel eines Friedensvertrages kleidet.« *1962*

»Jetzt fangen die Weihnachts-
ansprachen wieder an.« *1959*

»Wenn der Zirkus so weitergeht,
gebe ich bald wieder ein
Interview.« *1964*

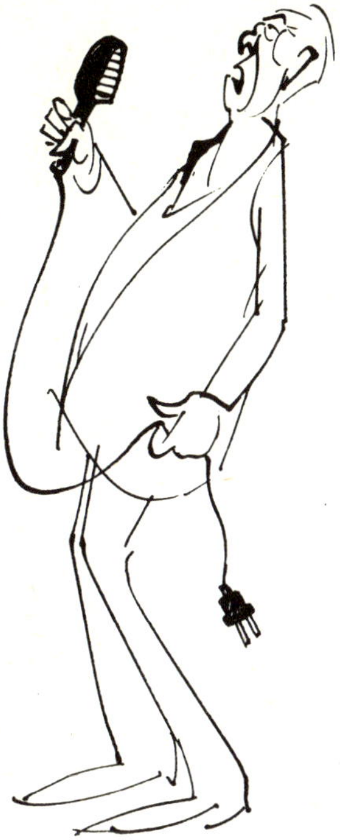

»Das mag sein, daß viele, die viel Radio hören, nicht wissen, woran sie sind.« *1957*

»Ich will mir hier in Ruhe darüber klarwerden, ob und wo ich angreifen soll. Damit ist es mir Ernst. Aber dem mußte erst ein großes Durcheinander vorangehen.« *1963*

»Umfragen haben den Beweis erbracht, daß so, wie ich denke, fühle und spreche, heute der größte Teil in Deutschland fühlt, denkt und spricht.« *1957*

»Wir wählen Parteien, und Parteien überdauern den einzelnen.« *1961*

»Mein Gott, was soll aus Deutschland werden, wenn ich nicht mehr da bin.« *1954*

»Bilden wir uns nicht ein, daß das
deutsche Volk politisch schon gereift ist.
Es ist anfällig und schwankt.
Und das ist kein Wunder.« *1964*

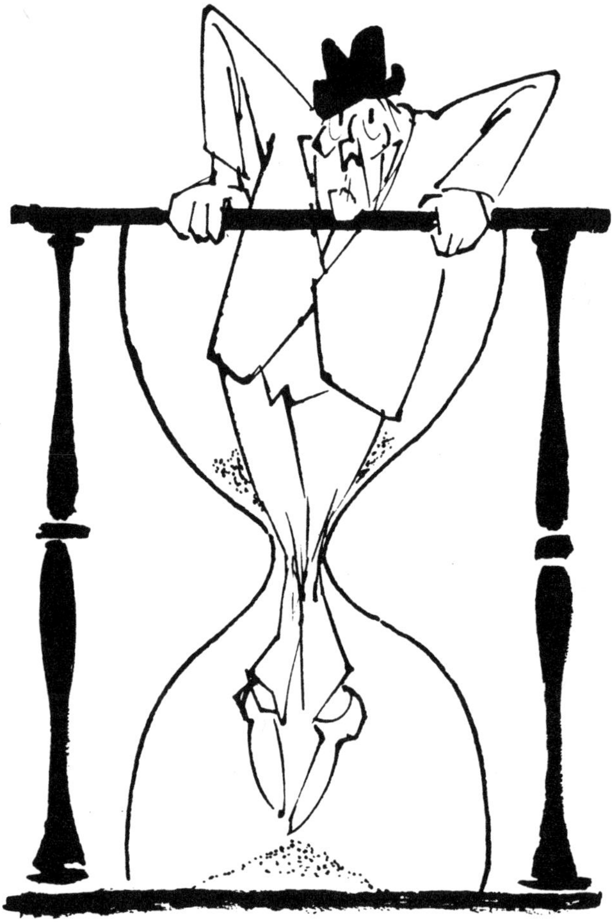

»Nutzen Sie die Zeit, solange ich noch lebe; wenn ich nicht mehr bin, ist es zu spät – mein Gott, ich weiß nicht, was meine Nachfolger tun werden, wenn sie sich selbst überlassen sind.« *1954*

»Sie müssen jeden Tag damit rechnen, daß ich ausfalle.« *1955*

»Ich habe noch viel am Hals.« *1964*

»Glauben Sie mir, es ist eine Sisyphusarbeit, eine Fraktion von mehr als zweihundertsiebzig Abgeordneten zusammenzuhalten.« *1958*

»Am besten ist, ich lasse die Herren mal kommen.«

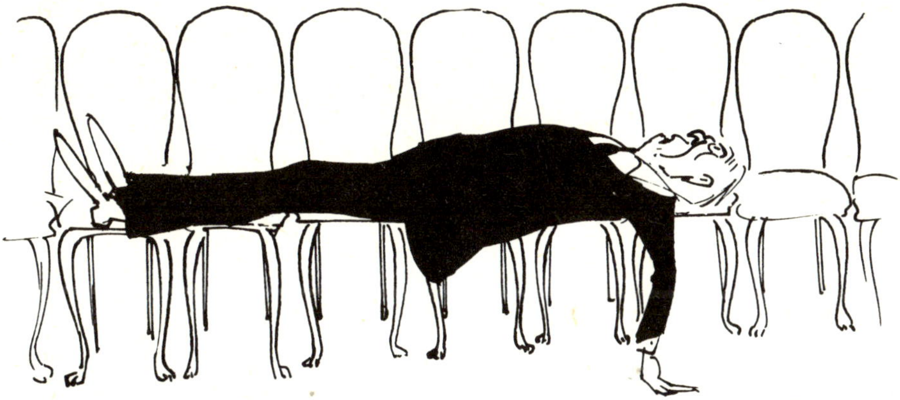

»Lieber drei Wahlen als eine Regierungsbildung.« *1957*

»Wenn der Kerl wirklich unangenehm wird, mache ich ihn zum Minister, das wird ihn schon ruinieren.«

»Ich gebe immer viel
auf Physiognomien.«
1963

»Das hab ich in Paris gelernt,
Herr Strauß.« *1962*

»Es ist sehr merkwürdig,
welche Veränderungen in
einem Menschen vorgehen,
wenn er auf einem
Ministersessel sitzt.« *1960*

»Der Strauß ist ein vorwärtsdrängender, dynamischer Mann. Es kann sein, daß es jetzt auf dem Schlachtfeld viele Tote und Verwundete gibt, und vielleicht bin eines Tages sogar ich unter den Leichen.« *1956*

»... manche Deutsche sind politisch nicht sehr klug.« *1963*

»Es ist meine Pflicht, gegen Herrn Erhard zu sprechen, eine Pflicht, die mich hart ankommt. Aber ich tue es für die Partei, für die ich den letzten Tropfen meines Blutes hergeben würde ...« *1963*

»Als Präsident de Gaulle in Deutschland so gefeiert wurde, hatte ich Angst, daß ein Rückschlag kommen könnte. Nun ist dieser Rückschlag gekommen.« *1964*

»In der Politik finde ich den Kampf, namentlich wenn man Erfolg hat, schön.« *1964*

»Ich fühle mich in Paris wohler als in Bonn. An der Seine habe ich nur Freunde, am Rhein aber hauptsächlich Feinde.« *1962*

»Der französische Staatschef hat mir selbst in einem sehr intimen Gespräch versichert, daß er für die Wiedervereinigung ist.«
1964

»Nichts war mir mein Leben lang so unsympathisch wie ein preußischer General.« *1956*

»Noch nie habe ich eine Erneuerung der Grenzen von 1937 verlangt. Das habe ich niemals getan. Ich bin doch nicht verrückt.« *1964*

»Wenn die Österreicher von uns Reparationen verlangen sollten, dann werde ich ihnen die Gebeine Adolf Hitlers schicken.« *1955*

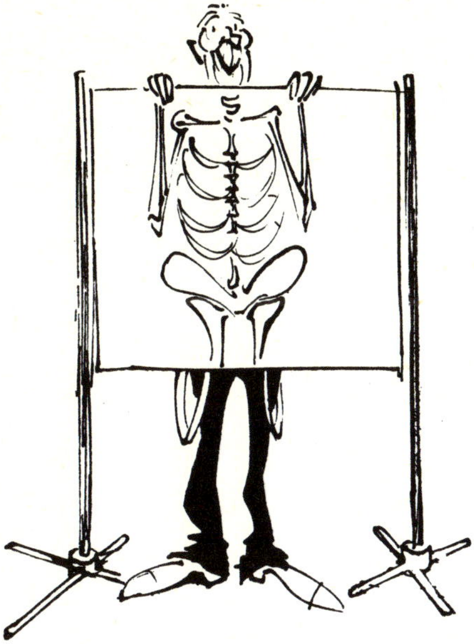

»... ob ich im Innern genauso denke, wie ich aussehe, das ist eine Frage für sich.« *1963*

»Die ganze Autobahn war ein Werk unserer Partei.« *1965*

»Wer die Rheinländer kennt,
der weiß ganz genau, daß sie nicht
übermäßig höflich sind,
wenn sie auch so tun.
Ich bin Rheinländer.« *1962*

»Geben Sie Gas, Klockner.«
Ständige Aufforderung an seinen langjährigen Fahrer

»Ich bin nicht mit Begeisterung von Cadenabbia weggeflogen. Aber ich glaube, es ist ganz gut, daß ich wieder da bin. Aus der Entfernung nimmt sich manches eigenartig aus, und man bekommt keine volle Klarheit.« *1963*

»Ich werde nicht etwa nun in die
Schmollecke gehen und
Widerstand leisten.« *1963*

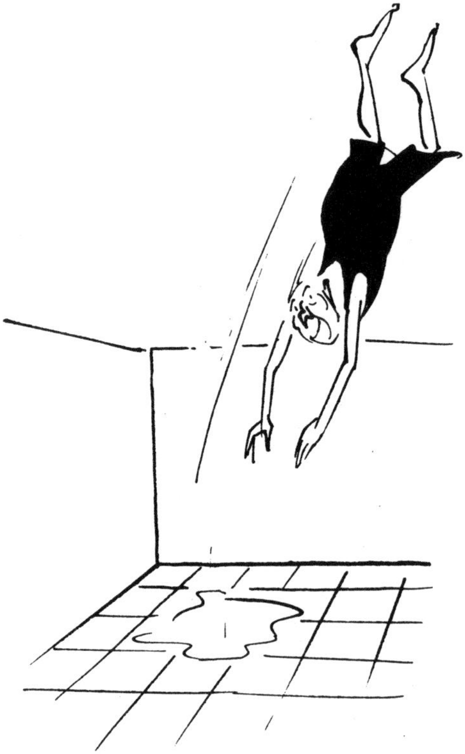

»Die Politiker leiden fast alle
unter Mangel an Mut ...«
1963

»Es gibt überall Schwierigkeiten
in der Welt. Aber mit gutem Willen
können sie immer überwunden
werden.« *1963*

»Ganz geheime Sachen werde ich nie durch das Telefon sagen – und
das andere wissen die ja doch.« *1963*

»Ich werde wieder in die politische Arena zurückkehren, wenn ich darum ersucht werde ...« *1963*

»Man muß dafür sorgen, daß man geistig nicht brachliegt, alles andere kommt von selbst.« *1964*

»Ich bin bei bestimmten Verbrechen für Wiedereinführung der Todesstrafe, weil die Entwicklung die Wiedereinführung der Todesstrafe notwendig macht.« *1964*

»Unsere Zeit ist ernst, sehr ernst, und deswegen bitte ich Sie, das, was ich Ihnen zu sagen habe, in dem Geiste aufzunehmen, in dem ich zu Ihnen spreche.« *1957*

»Es geht aber darum, ob Europa christlich bleibt oder ob Europa heidnisch wird ...« *1952*

»Wir haben seit einer ganzen Reihe von Jahren noch nicht in einer so ernsten Periode in der Welt gelebt, wie wir jetzt leben.« *1957*

»Ich glaube verpflichtet zu sein, Ihnen zu sagen, wie ernst die Lage in der Welt ist.« *1957*

»Es sieht in der Welt sehr ernst aus.« *1957*

»Die Lage war noch nie so ernst.« *1965*

»Dat is doch janz interessant,
was ich im Leben alles jesacht haben soll.
Aber ich sehe, dat es jut jesacht is.«

Konrad Adenauer